NEFF

NEFF

3. Auflage

Neff ist ein Imprint der
Verlagsunion Erich Pabel-Arthur Moewig KG, Rastatt

Umschlagentwurf und -gestaltung: Werbeagentur Zeuner, Ettlingen
Printed in Germany 1995
Druck und Bindung: Elsnerdruck Berlin
ISBN 3-8118-5770-3

Die beste Arznei für den Menschen ist der Mensch. Der höchste Grundf dieser Arznei ist die Liebe.

PHILLIPUS PARACELSUS

Die Tür, die dem Bettler verschlossen bleibt, öffnest du dem Arzt.

AUS ISRAEL

Man kann einen Menschen mit guten Saucen ebenso unter die Erde bringen wie mit Strichnyn, bloß dauert es länger.

CHRISTIAAN BARNARD

Ich glaube, daß es im Krankenbette oft besser zugeht als am ersten Platz der königlichen Tafel.

GEORG CHRISTOPH LICHTENBERG

Ein fröhliches Herz ist die beste Arznei, ein gedrücktes Gemüt dörrt das Gebein aus.

ALTES TESTAMENT

Das Leben ist eine Krankheit, und der einzige Unterschied zwischen den Menschen besteht darin, daß sie sich in verschiedenen Phasen dieser Krankheit befinden.

GEORGE BERNARD SHAW

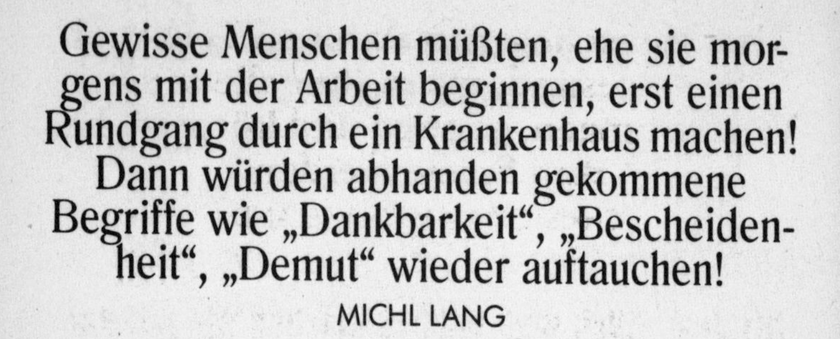

Gewisse Menschen müßten, ehe sie morgens mit der Arbeit beginnen, erst einen Rundgang durch ein Krankenhaus machen! Dann würden abhanden gekommene Begriffe wie „Dankbarkeit“, „Bescheidenheit“, „Demut“ wieder auftauchen!

MICHL LANG

Von Krankheit
mag der Körper wohl gesunden;
doch Seelenschmerz heilt
nicht wie Leibeswunden.

EDUARD VON BAUERNFELD

Eßt wenig, schlaft wenig und bewegt euch!

FIDEL CASTRO

Gemeinsame Krankheitssymptome verbinden oft stärker als gemeinsame Überzeugungen.

CARL MERZ

Der Mensch ist nur dann an Leib und Seele gesund, wenn ihm alle seine Verrichtungen, geistige und körperliche, zum Spiele werden.

CHRISTOPH MARTIN WIELAND

Mit dem Glück muß man es machen wie mit der Gesundheit: Es genießen, wenn es günstig ist, Geduld haben, wenn es ungünstig ist, und zu gewaltsamen Mitteln nur im äußersten Notfall greifen.

LA ROCHEFOUCAULD

Und wie wir eben Menschen sind,
wir schlafen sämtlich auf Vulkanen.

JOHANN WOLFGANG VON GOETHE

ES GIBT SCHMERZEN, WO DER MENSCH SICH SELBST NUR HELFEN KANN.

FRIEDRICH SCHILLER

So mancher meint, ein gutes Herz zu haben, und hat nur schwache Nerven.

MARIE VON EBNER-ESCHENBACH

Krankheit ist für viele Kinder das einzige Mittel zur Isolierung, denn solange sie gesund sind, müssen sie tun, was die Erwachsenen verlangen.

ERNST GLAESER

Manche Mißstimmung von Frauen, der auch beste Psychiater nicht beizukommen vermögen, kann schon ein mittelmäßiger Friseur beseitigen.

MARY MCCARTHY

Die Dummheit ist die sonderbarste aller Krankheiten. Der Kranke leidet niemals unter ihr. Die schmerzhaft leiden, sind die anderen.

PAUL-HENRI SPAAK

Man muß mit seiner Gesundheit haushalten.

AUS FRANKREICH

Die beste Arznei für den Menschen ist der Mensch. Der höchste Grund dieser Arznei ist die Liebe.

PHILIPPUS PARACELSUS

Ein Glückspilz ist, wer irgendein physisches Gebrechen hat, das er für die schwachen Stellen seiner Seele verantwortlich machen kann.

HENRY DE MONTHERLANT

Kummer und Sorgen schwellen den Leib auf.

WILLIAM SHAKESPEARE

Die Meinung, daß etwas ein Übel sei, verursacht oft weit schlimmere Empfindungen als das Übel selbst. Mancher hat schon eine schmerzhafte Operation ertragen, ohne zu erbleichen und zu jammern, während die Umstehenden zitterten, erblaßten, zitterten und in Ohnmacht fielen.

KARL JULIUS WEBER

Wahrheit ist eine widerliche Arznei.

AUGUST VON KOTZEBUE

Es ist gewiß, daß der Kranke viel zur Aufrechterhaltung seiner Kräfte und seiner Heilung beitragen kann.

WILHELM VON HUMBOLDT

Reiß deine Gedanken von deinen Problemen fort, an den Ohren, an den Fersen oder wie immer. Das ist das Beste, was der Mensch für seine Gesundheit tun kann.

MARK TWAIN

Eine Stunde Schlaf vor Mitternacht ist besser als zwei danach.

SPRICHWORT

Es gibt Fernsehsendungen, die sind so süßlich, daß man Zuckerkranke vor dem Einschalten warnen sollte.

ROBERT LEMBKE

Das Äußere läßt aufs Innere schließen.

WALTHER VON DER VOGELWEIDE

Wer sich ausschließlich körperlich bildet, wird allzu roh. Wer sich auf musische Bildung beschränkt, wird weichlicher, als ihm gut ist.

PLATON

Wer im Handeln ein Zwerg ist, kann im Ertragen ein Riese sein.

HANS KUDSZUS

Der Gesunde hat viele Wünsche, der Kranke nur einen.

AUS INDIEN

Die Menschen erbitten Gesundheit von den Göttern, vergessen aber, daß sie selbst den größten Einfluß auf ihre Gesundheit haben.

DEMOKRIT

NICHT GENUG, DEM SCHWACHEN AUFZUHELFEN,
AUCH STÜTZEN MUẞ MAN IHN.

WILLIAM SHAKESPEARE

Eine der schönsten Wendungen unserer Sprache lautet: „Werde mir nicht krank..." Egoismus und rührendste Fürsorge sind untrennbar darin verschmolzen.

SIGMUND GRAFF

Luft und Licht heilen, und Ruhe heilt, aber den besten Balsam spendet doch ein gütiges Herz.

THEODOR FONTANE

Ei, der Gesunde hüpft und lacht,
dem Wunden ist's vergällt.
Der eine schläft, der andere wacht,
das ist der Lauf der Welt.

WILLIAM SHAKESPEARE

Macht euch soviel zu tun, daß in eurem Gemüt kaum mehr Raum für Sorge bleibt. Emsige Tätigkeit ist eins der besten Heilmittel.

DALE CARNEGIE

Es gibt Menschen, die wollen sich gar nicht mit ihren Problemen herumschlagen. Sie wollen einfach, daß der Arzt, durch sein Machtwort oder durch Pillen, alle Schwierigkeiten beseitigt. Sie wollen z.B. eine Hilfe gegen Alkoholismus, gegen ihre Depressionen, aber sie wollen oder können nicht über die Gründe nachdenken, warum es so gekommen ist.

FRANK MATAKAS

Den Kranken ärgert die Fliege an der Wand.

SPRICHWORT

Das Alter hat auch gesundheitliche Vorteile: Zum Beispiel verschüttet man viel von dem Alkohol,
den man trinken möchte.

ANDRÉ GIDE

Frage nicht den Doktor, sondern den, der krank gewesen ist.

AUS GRIECHENLAND

Ihr seid glücklich und froh, wie sollt ein Scherz euch verwunden?
Doch der Krankende fühlt auch schmerzlich die leise Berührung.

JOHANN WOLFGANG VON GOETHE

EIN AUGENBLICK DER SEELENRUHE IST BESSER ALS ALLES, WAS DU SONST ERSTREBEN MAGST.

AUS PERSIEN

**Die Gesunden und Kranken
haben ungleiche Gedanken.**

SPRICHWORT

Noch niemand konnt es fassen,
wie Seel und Leib so schön
zusammenpassen,
so fest sich halten, als um nie zu scheiden,
und doch den Tag sich immerfort
verleiden.

JOHANN WOLFGANG VON GOETHE

Was ist der Mensch? Jedenfalls nicht das,
was er sich einbildet zu sein, die Krone
der Schöpfung.

WILHELM RAABE

Brüllt ein Mann, ist er dynamisch.
Brüllt eine Frau, ist sie hysterisch.

HILDEGARD KNEF

Nie ist man so glücklich oder unglücklich, wie man glaubt.

LA ROCHEFOUCAULD

Wie schwer ist's doch, zum Bauche zu sprechen, der keine Ohren hat!

CATO DER ÄLTERE

Wer einmal ein Rind auf der Wiese und die Teilnehmer eines Kongresses beim kalten Büffet beobachtet hat, wird erkennen, wo mehr Weisheit ist.

KLAUS MOHR

Wenn ich an einem unheilbar Kranken herumexperimentiere, erniedrige ich ihn zum Versuchstier. Er wird ohne mich auch sterben, aber leichter, unangestrengter.

CHRISTOPH HEIN

Reichen die Kräfte nicht aus,
so ist doch der Wille zu loben.
OVID

Es gibt nicht nur ansteckende Krankheiten, es gibt auch ansteckende Gesundheit.
KURT HAHN

Gesundheit hat viel damit zu tun, ob jemand sich in seiner Lebenssituation wohl fühlt.
ROSEMARIE STEIN

Den Armen kuriert Arbeit,
den Reichen der Doktor.
AUS POLEN

Der Mensch hat die Pflicht, gesund zu sein. Nur so kann er den anderen helfen und wird er ihnen nicht zur Last fallen.
TOMÁS GARRIGUE MASARYK

Ob sich ein Mensch als gesund oder krank bezeichnet, hängt sehr mit seinem Denken zusammen. Man kann sich gesund fühlen und doch krank sein, man kann sich auch krank fühlen und trotzdem gesund sein.

BERND IMHOF

Alles, was die Seele durcheinanderrüttelt, ist Glück.

ARTHUR SCHNITZLER

Die wahren Helden des Lebens sind nicht die Sieger, die jubelnd feiern, sondern die Besiegten, die sich in der Not noch ein Wort der Zuversicht abringen. Patienten, die sich mit ihrer eigenen Schwäche oder Krankheit auf eine positive und manchmal sogar humorvolle Art aussöhnen, beweisen uns, wessen der Mensch fähig ist.

ELISABETH LUKAS

Heiter machen, heilt!
DEMOKRIT

Das beste aller Hausmittel ist eine gute Hausfrau.
DAPHNE DU MAURIER

Der höchste Grad der Arznei ist die Liebe.
PARACELSUS

Der Arzt sieht den Menschen in seiner ganzen Schwäche, der Advokat in seiner ganzen Schlechtigkeit und der Priester in seiner ganzen Dummheit.
ARTHUR SCHOPENHAUER

Der Mensch ist die Medizin des Menschen.
AUS AFRIKA

Krankheit ist für die Trägen ein Fest, denn sie enthebt sie der Arbeit.
ANTIPHON

Ich bin nicht sehr krank,
ich kann noch darüber reden.

WILLIAM SHAKESPEARE

Ein gesunder Mensch ohne Geld
ist halb krank.

JOHANN WOLFGANG VON GOETHE

Wie sich körperlich viele für krank halten, ohne es zu sein, so halten umgekehrt geistig sich viele für gesund, die es nicht sind.

GEORG CHRISTOPH LICHTENBERG

Es gibt in Rücksicht auf den Körper gewiß wo nicht mehr, doch ebenso viele Kranke in der Einbildung als wirklich Kranke, in Rücksicht auf den Verstand ebenso viele, wo nicht sehr viel mehr Gesunde in der Einbildung als wirklich Gesunde.

GEORG CHRISTOPH LICHTENBERG

Es ist gar nicht selbstverständlich, daß der Kranke gesund werden will. Etwas im Kranken steht im heimlichen Komplott mit seiner Krankheit.

WILHELM STÄHLIN

Der Respekt vor dem menschlichen Leben hat keinen Sinn mehr, wenn er für den, der geht, und für die, die bleiben, nur zu einer langen Qual führt.

LUIS BUÑUEL

Als Veitin sterbend lag,
sprach Veit anstatt von Leide
von einer zweiten Eh' -
und sie genas vor Neide.

FRIEDRICH HAUG

VON HUNDERT KRANKHEITEN SIND FÜNFZIG DURCH EIGENE SCHULD ENTSTANDEN UND VIERZIG DURCH UNKLUGHEIT.

CRISTOFORO MANTEGAZZA

Die Fetten leben kürzer.
Aber sie essen länger.

STANISLAW JERZY LEC

Hüte dich vor einem guten Koch
und einer jungen Frau!

AUS FRANKREICH

Der Mensch kennt alle Dinge auf der
Erde, aber den Menschen kennt er nicht.

JEREMIAS GOTTHELF

Der Fuß braucht Unterstützung durch
den Schuh. Mit ermüdeten Füßen wird
auch der Mann schneller müde. Ob einer
gute Schuhe trägt, erkennt man am
besten am Ende eines Arbeitstages - an
seinem Gesicht.

JULIUS HARAI

***Es gibt Leute, die das Leben grau finden,
wenn sie Gliederreißen haben.***

JULES DE GONCOURT

Der Pöbel ruiniert sich durch das Fleisch, das wider den Geist, und der Gelehrte durch den Geist, den zu sehr wider den Leib gelüstet.

GEORG CHRISTOPH LICHTENBERG

Und es zeigte sich wieder, daß Hoffnung und Freude die besten Ärzte sind.

WILHELM RAABE

Manches muß man heilen, ohne daß der Kranke davon weiß.

LUCIUS ANNAEUS SENECA

Vor der Entschuldigung „Ich habe nicht die Zeit, krank zu werden" hat jede Krankheit tiefe Achtung.

THEODOR GOTTLIEB VON HIPPEL

Was nicht der Rat tut äußerlich,
Das muß der Trost tun innerlich.

JOHANN FISCHART

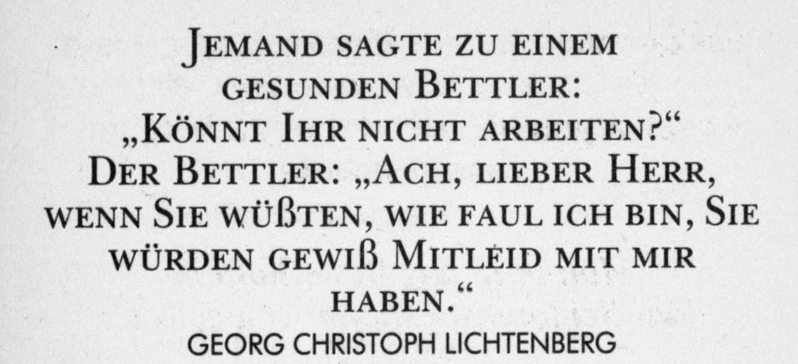

Jemand sagte zu einem gesunden Bettler: „Könnt Ihr nicht arbeiten?“ Der Bettler: „Ach, lieber Herr, wenn Sie wüßten, wie faul ich bin, Sie würden gewiß Mitleid mit mir haben.“

GEORG CHRISTOPH LICHTENBERG

Leichter träget, was er träget,
wer Geduld zur Bürde leget.

FRIEDRICH VON LOGAU

Das Leben wird bleiben, wie es ist, und in zweihundert Jahren werden die Menschen noch genauso seufzen: ”Ach, wie schwer ist das Leben!”

HORST WENDT

Verzag nicht an der eignen Kraft. Dein Herz
ist reich genug, sich selber zu beleben.
FRIEDRICH SCHILLER

Man muß das Beste hoffen,
das Schlimmste kommt von selbst.
SPRICHWORT

Wer seine Angst zugibt,
muß viel Mut haben.
SIGRID LESSER

Bedenke stets, dir im Unglück
Gleichmut zu bewahren.
HORAZ

Hoffnung ist wie der Zucker im Tee: Auch wenn sie klein ist, versüßt sie alles.
AUS CHINA

Leid währt nicht immer,
Ungeduld macht's schlimmer.
SPRICHWORT

Ein Mensch kann viel ertragen,
solange er sich selbst ertragen kann.
AXEL MUNTHE

Wir hoffen immer, und in allen Dingen
ist besser Hoffen als Verzweifeln.
JOHANN WOLFGANG VON GOETHE

Das Glück trennt die Menschen, aber das
Leid macht sie zu Brüdern.
PETER ROSEGGER

Wenn die Not am größten,
ist Gottes Hilf' am nächsten.
SPRICHWORT

Wenn du weinen kannst, so danke Gott!
JOHANN WOLFGANG VON GOETHE

***Wer sich entschließen kann,
besiegt den Schmerz.***
JOHANN WOLFGANG VON GOETHE

Es gehört auch zur Lebensklugheit, daß wir uns nicht dauernd mit Menschen vergleichen, die glücklicher sind als wir.

SIGRID UNDSET

Nur wer verzagend das Steuer losläßt, ist im Sturm verloren.

EMANUEL GEIBEL

Wir machen unser Kreuz und Leid nur größer durch die Traurigkeit.

GEORG NEUMARK

Wir lernten leichter durchs Leben wandeln, lernten wir nur, uns selbst zu behandeln.

FRIEDRICH THEODOR VISCHER

ES GIBT KEINE UNBIEGSAMEREN UND HÄRTEREN MENSCHEN ALS DIEJENIGEN, DIE IMMER MIT DER BETRACHTUNG IHRES UNGLÜCKS BESCHÄFTIGT SIND.

EWALD CHRISTIAN VON KLEIST

Dulde, gedulde dich fein!
Über ein Stündlein
ist deine Kammer voll Sonne.

PAUL HEYSE

Wir müssen immerfort Deiche des Mutes bauen gegen die Flut der Furcht.

MARTIN LUTHER KING

Lerne leiden, ohne zu klagen!

SPRICHWORT

Wenn alle Menschen ihr Mißgeschick auf einen einzigen großen Haufen legten, von dem sich jeder den gleichen Anteil zu nehmen hätte, die meisten Menschen wären froh, wenn sie ihren eigenen Beitrag zurückbekommen und verschwinden könnten.

SOKRATES

Uns lehrt eigener Schmerz, der andern Schmerzen zu teilen.

JOHANN WOLFGANG VON GOETHE

Wenn's etwas gibt, gewaltger als das Schicksal,
so ist's der Mensch, der's unerschüttert trägt.

EMANUEL GEIBEL

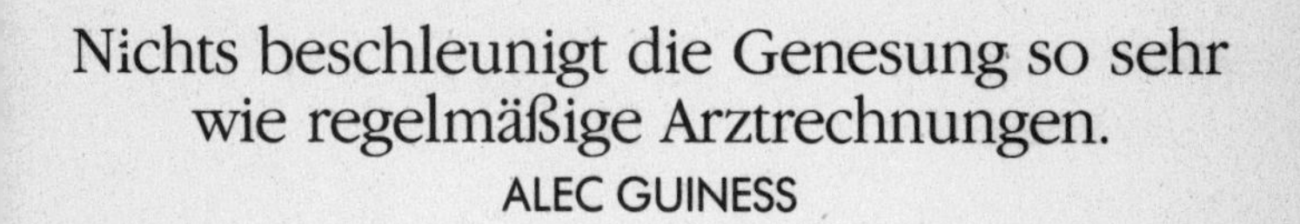

Nichts beschleunigt die Genesung so sehr wie regelmäßige Arztrechnungen.

ALEC GUINESS

Für all eure Leiden verschreibe ich euch Lachen.

FRANÇOIS RABELAIS

VON NATUR AUS IST ARZT, WER ANDERE ERHEITERN KANN.

DEMOKRIT

Wenn du krank bist, hüte dich vor Ärzten.

LEONARDO DA VINCI

Nicht der Arzt heilt die Krankheit, sondern der Körper heilt die Krankheit.

HIPPOKRATES

Nichts Tragischeres auf der Welt als ein kranker Arzt.

GEORGE BERNARD SHAW

Traut keinem Arzt,
sein Gegengift ist Gift.

WILLIAM SHAKESPEARE

Fröhlichkeit und Mäßigkeit sind die besten Ärzte.

SPRICHWORT

Das Betreten einer Arztpraxis oder eines Krankenhauses ist für einen Patienten dreißigmal gefährlicher als eine Expedition auf den Himalaya oder in die Urwaldhölle am Amazonas.

JULIUS HACKETHAL

Wer einen will zur Ader lassen, der muß ihn auch verbinden können.

SPRICHWORT

Ein junger Doktor muß haben einen Kirchhof zum Begraben.

GEORG ROLLENHAGEN

Die Pfarrer bauen den Acker Gottes, die Ärzte den Gottesacker.

GEORG CHRISTOPH LICHTENBERG

Die Ärzte haben mehr Menschenleben auf dem Gewissen als die Generäle.

NAPOLEON I.

Das Wissen des Kranken ist selbst noch dem des Arztes überlegen. Wie könnte der jenen tagtäglich sonst fragen: „Wie geht es?"

WOLFDIETRICH SCHNURRE

Ein kluger Arzt runzelt stets die Stirn. Geht der Fall übel aus, hat er damit auf die „höhere Gewalt", geht er gut aus, auf seine bescheidene Kunst aufmerksam gemacht.

SIGMUND GRAFF

Ein freundlicher Doktor
fällt in der Achtung seines Patienten.

AUS PERSIEN

Das Grab ist eine Brück'
ins bessre Leben!
Den Brückenzoll
müßt ihr dem Arzte geben.

FRIEDRICH VON LOGAU

Ich verschreibe anderen Arzneien, doch nehm ich sie selbst nicht ein.

IGNAZ FRANZ CASTELLI

*Die zahllosen Krankheiten wundern dich?
Zähle die Ärzte!*

KARL JULIUS WEBER

Zahnärzte werden ausgebildet und später einmal dafür bezahlt, ständig mehr Plomben und Kronen zu setzen. Eine frühzeitige Beratung dagegen, wie heute Karies zu verhindern sei, lohnt sich für Zahnärzte nicht.

MARTIN HEIDÖTTING

Fressen und Saufen macht die Ärzte reich.

SPRICHWORT

Ein Übel gibt es, von dem auf die Dauer die Ärzte uns immer heilen: unsere Leichtgläubigkeit ihnen gegenüber.

JEAN ANTOINE PETIT-SENN

TIERÄRZTE HABEN ES LEICHTER. DIE WERDEN WENIGSTENS NICHT DURCH ÄUßERUNGEN IHRER PATIENTEN IRREGEFÜHRT.

LOUIS PASTEUR

Jeder Arzt wie Psychotherapeut sollte sich fragen, wie weit er den Patienten als Menschen ernst nimmt, und inwieweit seine Maßnahmen einem eigenen Prestigegewinn dienen und vom Abrechnungssystem der Krankenkassen abhängen.

GEORG TECKER

Wo ein Arzt wohnt,
jammern ständig Kranke.

AUS SPANIEN

Was muß wohl unserm Arzt im Kopfe liegen,
ein Haus so nah' am Kirchhof sich zu baun?
„Freund, kennst du nicht das Künstlern
eigene Vergnügen, stets ihre Werke zu
beschaun?"

JOHANN FRIEDRICH JÜNGER

Wenn ein Arzt hinter dem Sarg seines
Patienten geht, so folgt manchmal
tatsächlich die Ursache der Wirkung.

ROBERT KOCH

Gott läßt genesen,
und der Arzt holt die Spesen.

SPRICHWORT

Gottlob, begrub man dieses Jahr,
so häufig das Erkranken war,
vier Kinder nur und einen Greisen;
denn unser Doktor ist auf Reisen.

FRIEDRICH HAUG

Freude, Mäßigkeit und Ruh'
schließt dem Arzt die Türe zu.

FRIEDRICH VON LOGAU

Eine der größten Krankheitsursachen ist die Polypragmasia medicorum, die Neigung der Ärzte, viel zu verordnen.

AUGUST BIER

Nichts gegen die Ärzte, großartige Leute. Früher, bei einem Mückenstich, kratzte man sich. Heute können sie Ihnen zwölf Salben verschreiben und keine nützt.

GOTTFRIED BENN

Es sterben viel weniger Menschen an der Schwindsucht als an der Systemsucht der Ärzte. Das ist gewiß die traurigste aller Todesarten, wenn man an einer Krankheit stirbt, die ein anderer hat.

LUDWIG BÖRNE

Nur die Ärzte können uns umbringen und bringen uns um, ohne Furcht und ruhigen Fußes, ohne ein anderes Schwert zu zükken als das des Rezeptes.

MIGUEL CERVANTES DE SAAVEDRA

Der Umgang mit Nervenärzten geht an Nervenärzten nicht spurlos vorüber.

RUDOLF ROLFS

Ein weinerlicher Arzt ist ein schlechter Arzt.

AXEL MUNTHE

Ein Internist ist ein Arzt, der einen Leberkranken auf Herz und Nieren prüft.

WERNER MITSCH

Achte den Arzt, bevor du ihn brauchst!

AUS ISRAEL

Man kann kein guter Arzt sein ohne Mitleid.

AXEL MUNTHE

Kranke führen über Ärzte leichtlich nicht Beschwerden. Jenen können diese stopfen fein das Maul mit Erden.

FRIEDRICH VON LOGAU

Ein Zahnarzt ist der einzige Mann, der eine Frau jederzeit zum Schweigen bringen kann, obwohl sie ihm die Zähne zeigt.

HANNES WÜHR

Man sollte niemals zu einem Arzt gehen, ohne zu wissen, was dessen Lieblingsdiagnose ist.

HENRY FIELDING

TRÖSTE GOTT DEN KRANKEN, DER DEN ARZT ZUM ERBEN SETZT.

SPRICHWORT

Ein gesunder Schlaf macht den Arzt nicht fett.

KARL PELTZER

Die Kranken sind wie Schwamm und Zunder,
ein neuer Arzt tut immer Wunder.
JOHANN WOLFGANG VON GOETHE

Die Ärzte sollten nicht sagen: „Den habe ich geheilt", sondern: „Der ist mir nicht gestorben."
GEORG CHRISTOPH LICHTENBERG

Ein guter Arzt rettet, wenn nicht immer vor der Krankheit, so doch von einem schlechten Arzte.
JEAN PAUL

Aus den Ärzten ist nichts zu bringen. Man weiß niemals, ob sie etwas geheimhalten oder ob sie selbst nicht wissen, woran sie sind.
JOHANN WOLFGANG VON GOETHE

Die Ärzte sind unseres Herrgotts Flicker.
MARTIN LUTHER

Wer heilt, hat recht.

ANITA BACKHAUS

Dem Arzt verzeiht! Denn doch einmal
lebt er mit seinen Kindern.
Die Krankheit ist ein Kapital,
wer wollte das vermindern!

JOHANN WOLFGANG VON GOETHE

Soll der Heilige dein Leiden wenden,
soll durch einen Arzt die Krankheit enden,
kommen mußt du dann mit reichen Spenden
zu den beiden, nicht mit leeren Händen.

AUS PERSIEN

DIE TÜR DES ARZTES SOLL NIEMALS VERSCHLOSSEN, DIE DES GEISTLICHEN IMMER OFFEN SEIN.

VICTOR HUGO

Wie der Mensch das Pfuschen so liebt!

JOHANN WOLFGANG VON GOETHE

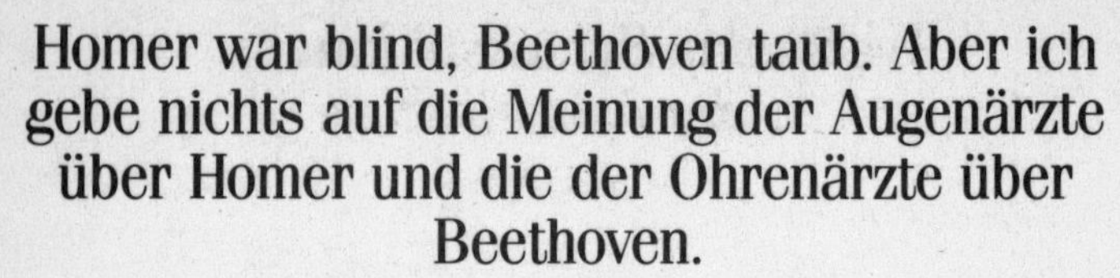

Homer war blind, Beethoven taub. Aber ich gebe nichts auf die Meinung der Augenärzte über Homer und die der Ohrenärzte über Beethoven.

ANTONIO MARIANOWICZ

An Todkranken wird unendlich viel Geld verdient, an Toten hingegen verdient kein Arzt.

JULIUS HACKETHAL

Der Arzt ist oft gefährlicher als die Krankheit.

AUS GROSSBRITANNIEN

Sabinus hat mir zwar
das kalte Weh vertrieben,
mich aber durch den Lohn
schier wieder aufgerieben,
derhalben sag' ich frei,
ich weiß ihm keinen Dank,
vor diesem war mein Leib,
jetzt ist mein Beutel krank.

JOHANNES GROB

Wenn das Schicksal kommt,
ist der Arzt ein Narr.

AUS PERSIEN

Ein Arzt, der kein Künstler ist, ist auch kein Arzt.

CURT GOETZ

Barmherzige Ärzte riskieren heute viel mehr als unbarmherzige.

JULIUS HACKETHAL

Ein Röntgenologe ist der einzige Mann, der eine Frau zu durchschauen vermag.

SACHA GUITRY

VERACHTEST DU DEN ARZT, SO VERACHTE AUCH DIE KRANKHEIT.

AUS AFRIKA

Der beste Arzt ist oft der schlechteste Patient.

SPRICHWORT

Der Theolog befreit dich von der Sünde, die
er selbst erfunden;
der Jurist gewinnt dir deinen Prozeß und
bringt deinen Gegner, der gleiches Recht hat,
an den Bettelstab;
der Medikus kuriert dir deine Krankheit weg,
die andere herbei.

JOHANN WOLFGANG VON GOETHE

Der ist ein Arzt, der das Unsichtbare weiß,
das keinen Namen hat, keine Materie und
doch seine Wirkung.

PARACELSUS

Oft begrub schon der Kranke den Arzt,
der das Leben ihm kürzlich
abgesprochen.

JOHANN WOLFGANG VON GOETHE

***Die Irrtümer des Arztes
sind mit Erde zugedeckt.***

AUS POLEN

Fast jeder Arzt hat seine Lieblingsdiagnose. Es gehört für ihn Überwindung dazu, sie nicht zu stellen.

MARCEL PROUST

Ein Arzt hat eine Aufgabe, als ob ein Mensch in einem dunklen Zimmer in einem Buche lesen sollte.

CHRISTIAN FRIEDRICH HEBBEL

Da wir aus Ärzten Kaufleute machen, zwingen wir sie, die Handelskniffe zu erlernen.

GEORGE BERNARD SHAW

EIN VERANTWORTUNGSVOLLER ARZT MACHT KEINE OPERATION, WENN ER GLAUBT, DER PATIENT KÖNNE AUCH AUF ANDERE WEISE GENESEN.

KLAUS VON DOHNANYI

Wir Ärzte sind Nachtreter der Natur,
und unsre Herrin geht auf dunklen Pfaden.

FRANZ GRILLPARZER

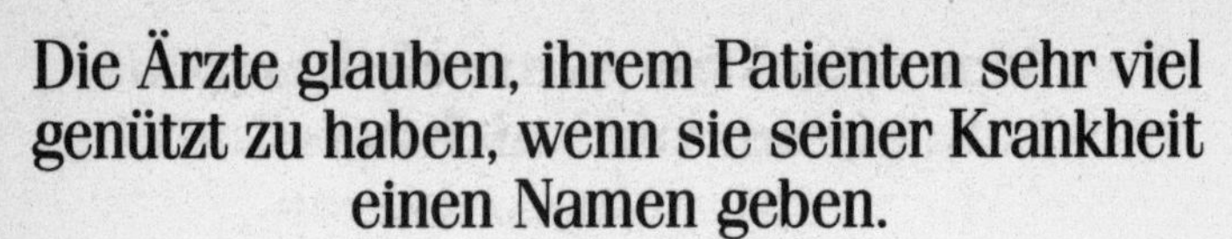

Die Ärzte glauben, ihrem Patienten sehr viel genützt zu haben, wenn sie seiner Krankheit einen Namen geben.

IMMANUEL KANT

Hier ruht mein lieber Arzt, Herr Frumm,
Und die er heilte, ringsherum.

GRABINSCHRIFT

Die Liebe ist es, die die Kunst lehret, und außerhalb derselben wird kein Arzt geboren.

PARACELSUS

Schon mit Rücksicht auf die vielen Ärzte kann es keine heile Welt geben.

WERNER MITSCH

Den Kopf halt kühl, die Füße warm,
das macht den besten Doktor arm.

SPRICHWORT

**Man läßt sich gern schützen,
aber man zahlt nicht gern.**

OTTO VON BISMARCK

**Schwätzen, süß reden ist des Maules Amt. Helfen
aber, nutz sein, ist des Herzens Amt.
Im Herzen wächst der Arzt.**

PARACELSUS

*Jedem Arzt geht es schlecht, wenn es keinem
schlecht geht.*

PHILEMON DER JÜNGERE

HIER LIEGT EIN ARZT, OH WANDERER,
DER GUTES STIFTETE
UND SICH VERGIFTETE
STATT ANDERER.

FRIEDRICH HAUG

Nicht nur das Gesundmachen, auch das
Krankschreiben bringt
zufriedene Patienten.

WERNER HORAND

Mit Klageruf beschreit
kein weiser Arzt ein Übel,
das den Schnitt verlangt.

SOPHOKLES

Der wahre Arzt beugt sich ehrfurchtsvoll
vor der Gottheit.

HIPPOKRATES

Hier ruht ein Arzt,
ein Mann voll Wißbegier,
im Studium wollte er nie Ruhe haben,
drum ist er auch nach seinem Tode hier
noch zwischen seinen Werken
all begraben.

IGNAZ FRANZ CASTELLI

Die Einsamkeit und das übrige Herzeleid zu lindern, braucht andere Medikamente. Einige davon heißen: Humor, Zorn, Ironie und Kontemplation. Doch welcher Arzt verschreibt sie?

ERICH KÄSTNER

Und es zeigte sich wieder, daß Hoffnung und Freude die besten Ärzte sind.

WILHELM RAABE

Nur durch Mut kann man sein Leben in Ordnung bringen.

VAUVENARGUES

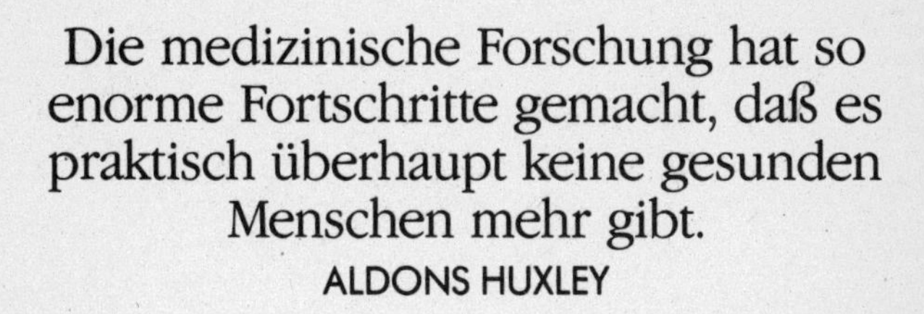

Die medizinische Forschung hat so enorme Fortschritte gemacht, daß es praktisch überhaupt keine gesunden Menschen mehr gibt.

ALDONS HUXLEY

Wer neue Heilmittel scheut, muß alte Übel dulden.

FRANCIS BACON

Lachen ist die beste Medizin.

SPRICHWORT

ES WÄRE SCHÖN, WENN DIE LÄNGE DES LEBENS NUR VON DER RICHTIGEN ERNÄHRUNG ABHINGE.

ELKE HAAN

Die medizinische Forschung hat so enorme Fortschritte gemacht, daß es praktisch überhaupt keinen gesunden Menschen mehr gibt.

ALDOUS HUXLEY

Zwei Dinge pflegen den Fortschritt der Medizin aufzuhalten: Autoritäten und Systeme

RUDOLF VIRCHOW

Eine der am meisten verbreiteten Krankheiten ist die Diagnose.

KARL KRAUS

Was die Arzneien nicht heilen, heilt das Messer. Was das Messer nicht heilt, heilt das Feuer.

HIPPOKRATES

Ein Kassenpatient ist eine Person, die auch mit billigen Medikamenten gesund wird.

MICHAEL SCHIFF

Die meisten Kranken sterben nicht an ihrer Krankheit, sondern durch die Medikamente, die man ihnen aufzwingt.

MOLIÈRE

Die Arznei macht kranke, die Mathematik traurige und die Theologie sündhafte Leute.

MARTIN LUTHER

Der Placebo-Effekt liefert den dramatischen Beweis dafür, daß jede Heilung im Grunde eine Selbstheilung darstellt.

RICK INGRASCI

Vor der Genesung einer heftigen Krankheit, im Augenblick der Kraft und Besserung ist am heftigsten der Anfall. Jedes Übel, das Abschied nimmt, erscheint am übelsten.

WILLIAM SHAKESPEARE

EIN ARZT OHNE ERSTKLASSIGEN APOTHEKER IST WIE EIN GENERAL OHNE ARTILLERIE.

JULES ROMAINS

Der Geist der Medizin ist leicht zu fassen!
Ihr durchstudiert
die groß' und kleine Welt,
um es am Ende gehn zu lassen,
wie's Gott gefällt.

JOHANN WOLFGANG VON GOETHE

Ein verzweifeltes Übel will
eine verwegene Arznei.

FRIEDRICH SCHILLER

Das Kreuz, wohl gefaßt, ist halb getragen.

SPRICHWORT

Man hat beobachtet, daß bei der Pest und anderen Ansteckungskrankheiten diejenigen am ersten angesteckt wurden, die sich am meisten fürchteten.

KARL JULIUS WEBER

Nicht Kunst und Wissenschaft allein,
Geduld will bei dem Werke sein.

JOHANN WOLFGANG VON GOETHE

Ein geflicktes Hemd und ein Magen voll Medizin können nicht lange halten.

AUS ALBANIEN

Die Wahrheit ist eine Medizin, die angreift.

JOHANN HEINRICH PESTALOZZI

Wenn die Krankheit verzweifelt ist, kann ein verzweifeltes Mittel nur helfen oder keins.

WILLIAM SHAKESPEARE

Des Menschen Arzenei macht nie vom Tode frei.

ABRAHAM A SANCTA CLARA

ZWEI DINGE TRÜBEN SICH BEIM KRANKEN: A) DER URIN, B) DIE GEDANKEN.

EUGEN ROTH

Es ist eine langweilige Krankheit, seine Gesundheit durch eine allzu strenge Diät erhalten zu wollen.

LA ROCHEFOUCAULD

Ein edles Lebensziel ist so wirksam als Heilmittel wie Arznei.

RALPH WALDO EMERSON

Was man dem Schlaf raubt,
holt sich die Krankheit wieder.

KARL PELTZER

Medizin ein Viertel, gesunder Menschen-
verstand drei Viertel!

AUS INDIEN

***Der Schlaf ist für den ganzen Menschen,
was das Aufziehen für die Uhr.***

ARTHUR SCHOPENHAUER

*Je besser die Versorgung,
um so mehr Kranke.*

KARSTEN VILMAR

Ich fand bei Plutarch, mit welchen Mitteln sich Cäsar gegen Kränklichkeiten und Kopfschmerz verteidigte: ungeheure Märsche, einfache Lebensweise, ununterbrochener Aufenthalt im Freien, Strapazen.

FRIEDRICH NIETZSCHE

Wenn eine Medizin nicht schadet, soll man froh sein und nicht obendrein noch verlangen, daß sie etwas nütze.

BEAUMARCHAIS

In der chinesischen Medizin werden neben den sieben Stufen der Krankheit ebenfalls sieben Stufen des Essens aufgeführt: mechanisches, sinnliches, sentimentales, intellektuelles, soziales, ideologisches und freies Essen.

GEORG TECKER

WAS BITTER IST DEM MUND,
IST INNERLICH GESUND.

SPRICHWORT

Gehst du furchtsam und zart mit deinen Leiden um, so stechen sie heißer als Brennesseln, wenn man sie bloß leise berührt. Aber gleich ihnen verletzen sie wenig, wenn du sie herzhaft und derb handhabst.

JEAN PAUL

Freude und guter Mut in Ehren und Züchten ist die beste Arznei eines jungen Menschen, ja aller Menschen.

MARTIN LUTHER

Vorbeugen ist besser als Heilen.

AUS GROSSBRITANNIEN

Die Fortschritte der Medizin sind ungeheuer. Man ist sich seines Todes nicht mehr sicher.

HERMANN KESTEN

Bleibe nicht am Boden haften!
Frisch gewagt, und frisch hinaus!

JOHANN WOLFGANG VON GOETHE

Der Wein ist unter den Getränken das nützlichste, unter den Arzneien die schmackhafteste, unter den Nahrungsmitteln das angenehmste.

PLUTARCH

Apparate haben das ärztliche Denken verdrängt.

KLAUS THOMSEN

Ich habe das Register der Krankheiten angesehen und habe die Sorgen und traurigen Vorstellungen nicht darunter gefunden. Das ist sehr unrecht.

GEORG CHRISTOPH LICHTENBERG

Der körperliche Zustand hängt sehr viel von der Seele ab. Man suche sich vor allem zu erheitern und von allen Seiten zu beruhigen.

WILHELM VON HUMBOLDT

Vegetarier leiden so gut wie nie unter Übergewicht, Bluthochdruck, Zucker, Gallensteinen oder gar der Zivilisationskrankheit Nummer eins, Herz- und Gefäßerkrankungen.

ANNA VON MÜNCHHAUSEN

Das Geheimnis der Medizin besteht darin, den Patienten abzulenken, während die Natur sich selber hilft.

VOLTAIRE

Es ist an der Zeit, zwischen nützlichen und entbehrlichen Behandlungsmethoden zu unterscheiden.

KARL-HEINZ SCHRIEFERS

Das Tier wird durch seine Organe belehrt. Der Mensch belehrt die seinigen und beherrscht sie.

JOHANN WOLFGANG VON GOETHE

Körperliche und geistige Übungen sollen sich gegenseitig zur Erholung dienen.

JEAN-JACQUES ROUSSEAU

Die Philosophen sind eher Anatomen als Ärzte; sie zerlegen und heilen nicht.

ANTOINE DE RIVAROL

So muß es mit den Herren Medizinern wohl sein, wie mit den Scharfrichtern. Wenn die zum erstenmale köpfen, so zittern und beben sie; je öfter sie aber den Versuch wiederholen, desto frischer geht es.

GOTTHOLD EPHRAIM LESSING

Wir sind ein pillenfressendes Volk geworden. Das ist nicht im Sinne der Gesundheit.

NORBERT BLÜM

Es gibt nur eine Heilkraft, und das ist die Natur; in Salben und Pillen steckt keine. Höchstens können sie der Heilkraft der Natur einen Wink geben, wo etwas für sie zu tun ist.

ARTHUR SCHOPENHAUER

Wenn man sieht, was die heutige Medizin fertigbringt, fragt man sich unwillkürlich: Wie viele Etagen hat der Tod?

JEAN-PAUL SARTRE

Das einzige Mittel gegen Aberglauben ist Wissenschaft.

HENRY THOMAS BUCKLE

Die Medizin ist eine Naturwissenschaft. Aber das Arzttum ist keine Naturwissenschaft, sondern das Arzttum ist das Letzte und Schönste und Größte an Beziehungen von Mensch zu Mensch. Das Arzttum ist das Königliche. Die Naturwissenschaften sind die Minister dieses Königs, die dienen müssen und nicht herrschen dürfen.

FERDINAND SAUERBRUCH

Beobachtet man die Art, in der man in den Spitälern mit den Kranken umgeht, so möchte man glauben, die Menschen hätten diese traurigen Zufluchtsstätten nicht erfunden zum Wohl des Kranken, sondern um den Glücklichen den Anblick zu ersparen, der sie in ihrem Vergnügen stören könnte.

VAUVENARGUES

Die Sportmedizin kann nicht die Reparaturwerkstatt für die Opfer des Leistungssports sein.

WILDOR HOLLMANN

Die Apotheker sind bemüht, ihr kaufmännisches Talent hinter ihrer wissenschaftlichen Vorbildung zu verbergen.

SIGMUND GRAFF

Nur wer den Überfluß bremst, hat die Chance, das System der Krankenversorgung vor seinem Untergang zu retten.

MAX CONRADT

Bei der Einlieferung im Krankenhaus müssen die Bürgerrechte oft wie ein Mantel an der Garderobe abgelegt werden.

HANS HENNING ATROTT

Die Heilkunst ist in der Hauptsache nichts anderes als die Kenntnis der Liebesregungen des Leibes in Bezug auf Füllung und Leerung.

PLATON

Vielessen ist eine der gefährlichsten ansteckenden Krankheiten.

WERNER KOLLATZ

Medizin ist zum Teil ein Geschäft, zum Teil sind's erhellte Leute.

MAX FRISCH

WIR HABEN NUR DIE WAHL: VERÄNDERN ODER VERENDEN.

NORBERT BLÜM

Die Medizin verhindert in vielen Fällen das Sterben, macht aber nicht gesund. Sie bewirkt den Zustand des chronischen Leidens.

ARTHUR JORES

Seelische Faktoren spielen bei Krankheiten eine Rolle. Der Volksmund gibt da Hinweise. Einer ist „verschnupft“, er zerbricht sich den Kopf, er hat etwas in den falschen Hals bekommen, ihm ist etwas auf den Magen geschlagen, etwas macht ihm Bauchweh.

FRANZ MATAKAS

Es ist an der Zeit, der Lebensqualität bei der Behandlung des Tumors ebenso große Bedeutung einzuräumen wie der Überlebenszeit.

PETER REIZENSTEIN

Gesund kann man nur bleiben, wenn man ißt und trinkt, was man nicht mag, und tut, wozu man keine Lust hat.

MARK TWAIN

Das ist die Kunst des Umgangs mit dem Unheil, die Unheilkunde: Man muß lernen, das Richtige zu tun, wenn nichts mehr zu machen ist.

GERHARD NAGEL

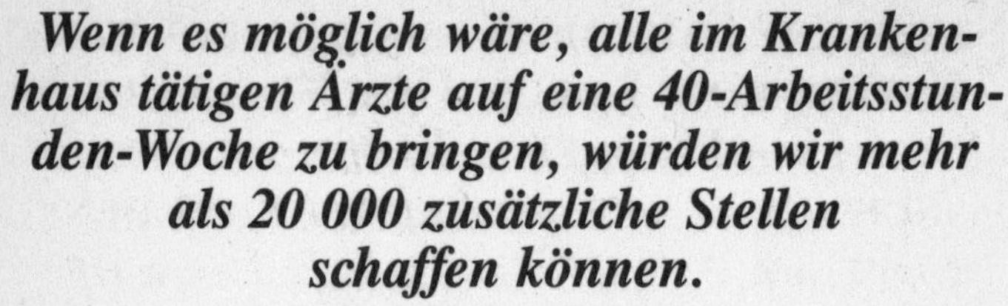

Wenn es möglich wäre, alle im Krankenhaus tätigen Ärzte auf eine 40-Arbeitsstunden-Woche zu bringen, würden wir mehr als 20 000 zusätzliche Stellen schaffen können.

JÖRG-DIETRICH HOPPE

Wer durch eine lebensbedrohende Krankheit in eine existentielle Krise geraten ist, kann im Krankenhaus nur dann mit Hilfe in seelischer Not rechnen, wenn dort gerade entsprechende Forschungen betrieben werden.

HANS HENNING STUDT

Das Leben zu beschleunigen, ist eine böse Tat. Die beiden heilkräftigsten Elemente werden dabei unterdrückt: die Vergeßlichkeit und die Faulheit.

JEAN GIRAUDOUX

Aber die Heilkunde bleibt Torso, minderwertiges Stückwerk, wenn sie die Seele nicht berücksichtigt.

ALBERT EHRENSTEIN

Seid ihr so eifrig im Studieren,
muß meine Hoffnung
auf Genesung scheitern.
Ihr wollt nicht einen Kranken kurieren,
sondern nur eure Wissenschaft erweitern.

FRANZ GRILLPARZER

DIE FAHRT MIT DEM FAHRRAD ZUM BÜRO
IST EINE ECHTE ALTERNATIVE
ZUM HEIMTRAINER.

HELMUT KLEINHORST

Wenn heute immer von Risikofaktoren gesprochen wird und was man alles vermeiden müsse, um nicht krank zu werden, so möchte ich umgekehrt behaupten, man muß auch Risiken eingehen, um gesund zu bleiben oder zu werden.

JÜRGEN-PETER STÖSSEL

Seelenleiden zu heilen, vermag der Verstand nichts, die Vernunft wenig, die Zeit viel, die entschlossene Tätigkeit alles.

JOHANN WOLFGANG VON GOETHE

Bedeutender Vorzug des Gefängnisses vor dem Krankenhaus: Der Insasse bestimmt, ob und welchen Besuch er haben will.

JOHANNES GROSS

Das deutsche Chefarztsystem ist aus dem Militärsystem gewachsen.

JULIUS HACKETHAL

In der Medizin kommt es darauf an, daß sich der Arzt mit seiner Aufgabe identifiziert. Das ist ähnlich wie in der Pädagogik. Da kann man auch nicht sagen, diese oder jene Art der Erziehung ist richtig. Hauptsache, die Erzieher lieben das, stehen hinter dem, was sie tun.

JÜRGEN-PETER STÖSSEL

DIE GROSSE MODE IST JETZT PESSIMISTISCHER OPTIMISMUS: ES IST ZWAR ALLES HEILBAR, ABER NICHTS HEIL.

LUDWIG MARCUSE

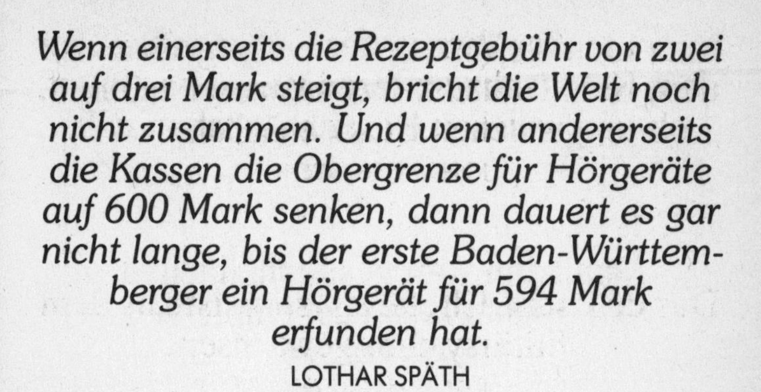

Wenn einerseits die Rezeptgebühr von zwei auf drei Mark steigt, bricht die Welt noch nicht zusammen. Und wenn andererseits die Kassen die Obergrenze für Hörgeräte auf 600 Mark senken, dann dauert es gar nicht lange, bis der erste Baden-Württemberger ein Hörgerät für 594 Mark erfunden hat.

LOTHAR SPÄTH

Eine Heilkunst, die die Krankheit nur als naturwissenschaftliches Faktum ansieht, kann keine sittlichen Normen für ärztlichen Handeln entwickeln.

VIKTOR VON WEIZSÄCKER

Gesundheit ohne Geld ist ein halbes Fieber.

AUS GROSSBRITANNIEN

Die Sonne ist die Universalarznei aus der Himmelsapotheke.

AUGUST VON KOTZEBUE

Man kann die Erkenntnisse der Medizin auf folgende Formel bringen: Wasser, mäßig genossen, ist unschädlich.

MARK TWAIN

Man kann vom gesundheitlichen Standpunkt kein Fest empfehlen.

FRANZ KREUZER

Die medizinische Forschung hat so enorme Fortschritte gemacht, daß es praktisch überhaupt keinen gesunden Menschen mehr gibt.

ALDOUS HUXLEY

Ich kenne kein Krankenhaus, in dem ein Patient am Samstag oder am Sonntag entlassen wird - da stimmt doch etwas nicht.

NORBERT BLÜM

Chirurgen sind die einzigen Menschen, die ohne fremden Blinddarm oder ohne fremde Mandeln nicht leben könnten.

PETER SELLERS

Ein Medikament, das keine Nebenwirkungen hat, hat auch keine Wirkungen.

ANSGAR MATTHES

Unsere Nahrungsmittel sollen unsere Heilmittel und unsere Heilmittel unsere Nahrungsmittel sein.

HIPPOKRATES

Oft läßt sich das, was sich nicht durch Gewalt besiegen läßt, ganz einfach durch Geduld besiegen.

AUS ITALIEN

GEDULD IST DER SCHLÜSSEL ZUR FREUDE.

AUS ARABIEN

Geduld ist aller Schmerzen Arzenei.

PUBLILIUS SYRUS

Der Mut hat mehr Mittel gegen das Unglück als die Vernunft.

VAUVENARGUES

Widerwärtigkeiten sind Pillen, die man schlucken muß und nicht kauen.

GEORG CHRISTOPH LICHTENBERG

Gelobt sei, was hart macht! Ich lobe das Land nicht, wo Butter und Honig fließt.

FRIEDRICH NIETZSCHE

Steht dir ein Schmerz bevor, oder hat er dich bereits ergriffen, so bedenke, daß du ihn nicht vernichtest, indem du dich von ihm abwendest! Sieh' ihm fest ins Auge!

ERNST VON FEUCHTERSLEBEN

Wie arm sind die,
die nicht Geduld besitzen!
Wie heilten Wunden als nur nach und nach?

WILLIAM SHAKESPEARE

Man macht sich den Schmerz leicht, wenn man ihn für leicht hält.

LUCIUS ANNAEUS SENECA

Wer den Tod fürchtet, hat das Leben verloren.

JOHANN GOTTFRIED SEUME

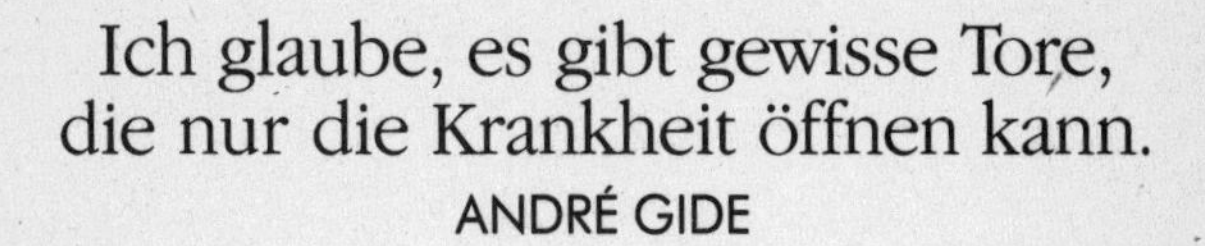

Ich glaube, es gibt gewisse Tore,
die nur die Krankheit öffnen kann.

ANDRÉ GIDE

Je unabhängiger du im Geiste sein willst, desto unabhängiger mache den Leib von Bedürfnissen. Je stärker und mächtiger du deine Seele wünschest, desto stärker und mächtiger mache den Leib.

ERNST MORITZ ARNDT

KLASSISCH IST DAS GESUNDE, ROMANTISCH DAS KRANKE.

JOHANN WOLFGANG VON GOETHE

Wer sich stets viel geschont hat, der kränkelt zuletzt an seiner vielen Schonung.

FRIEDRICH NIETZSCHE

Nichtstun erquickt!

MARCUS TULLIUS CICERO

Ich glaube, es gibt gewisse Tore, die nur die Krankheit öffnen kann.

ANDRÉ GIDE

Körper, Seele und Geist sind die Elemente der Welt.

NOVALIS

Seel' ist ein Gefangener,
Leib ist ein Gefängnis;
wer den Leib verzärtelt,
gibt der Seele Drängnis.

FRIEDRICH VON LOGAU

*Am besten hält man sich fit
durch ein Minimum an Bewegung.*

CARL AMERY

**Fang jetzt zu leben an und zähle jeden
Tag als ein Leben für sich.**

LUCIUS ANNAEUS SENECA

**Das Gefühl von Gesundheit
erwirbt man sich nur durch Krankheit.**

GEORG CHRISTOPH LICHTENBERG

*Nimmer begreift der Gesunde die Krankheit,
nimmer die Jugend,
daß ihr reiches Gemüt je zu verargen vermag.*

EMANUEL GEIBEL

Wer auf sein Leid tritt, tritt höher.

FRIEDRICH HÖLDERLIN

Selbstheilung bedeutet, den eigenen Körper dem Selbst näherzubringen und das Gefühl der Einheit wiederzuerleben.

GEORG TECKER

Leben ist Krankheit, und der Unterschied zwischen einem Mann und einem anderen ist nur das Stadium der Krankheit, in dem er lebt.

GEORGE BERNARD SHAW

Die Krankheit demaskiert den Menschen; sie treibt sowohl seine guten wie seine schlechten Seiten deutlicher hervor.

ERNST JÜNGER

Krankheit verschafft eine Befriedigung, die es dem Kranken oft verwehrt, gesund zu werden.

NATHALIE SARRAUTE

Wenn es dir übel geht,
nimm es für gut nur immer;
Wenn du es übel nimmst,
so geht es dir noch schlimmer.

FRIEDRICH RÜCKERT

Das Peinlichste am körperlichen Schmerze ist das Unkörperliche, nämlich unsere Ungeduld und unsere Täuschung, daß er immer wäre.

JEAN PAUL

Der Körper, der Übersetzer der Seele ins Sichtbare.

CHRISTIAN MORGENSTERN

**Es ist der Geist,
der sich den Körper baut.**

FRIEDRICH SCHILLER

**Mitunter sitzt die ganze Seele
in eines Zahnes dunkler Höhle.**

WILHELM BUSCH

Das Leben ist eine Krankheit, die ganze Welt ein Lazarett! - Und der Tod ist unser Arzt.

HEINRICH HEINE

JEDE EPOCHE HAT IHRE EIGENEN KRANKHEITEN UND IHRE EIGENEN HEILUNGEN.

OTTO HEUSCHELE

Man soll sich mehr um die Seele als um den Körper kümmern, denn Vollkommenheit der Seele richtet die Schwächen des Körpers auf.

DEMOKRIT

Läßt sich die Krankheit nicht kurieren, muß man sie eben mit Hoffnung schmieren.

JOHANN WOLFGANG VON GOETHE

Was ist groß?
Schicksalsschläge froh ertragen.

LUCIUS ANNAEUS SENECA

Nach der Gesundheit leben
ist ein elend Leben.

SPRICHWORT

Krankheit ist wohl der letzte Grund
des ganzen Schöpferdrangs gewesen:
Erschaffend konnte ich genesen,
erschaffend wurde ich gesund.

HEINRICH HEINE

*Traurig ist es, wenn in einem Leben
die Seele eher ermüdet als der Leib.*

MARK AUREL

**Besser ist's, der Körper leidet
als die Seele.**

MENANDER

**Wer am Tode vorübergegangen ist, lebt anders,
als er früher gelebt hat.**

AUS WALLONIEN

Die Krankheit erst bewähret den Gesunden.

JOHANN WOLFGANG VON GOETHE

Der Schmerz ist Leben.

FRIEDRICH SCHILLER

MAN KANN DEN CHARAKTER EINES MENSCHEN NIE BESSER KENNENLERNEN ALS AN SEINEM KRANKENBETTE.

FRANZ GRILLPARZER

Mein bester Freund, mein Leib,
der ist ein ärgster Feind;
er bindt und hält mich auf,
wie gut er's immer meint.
Ich haß und lieb ihn auch,
und wenn es kommt zum Scheiden,
so reiß ich mich von ihm
mit Freuden und mit Leiden.

ANGELUS SILESIUS

Kränklichkeit ist kein Hindernis zu guten Taten; die größten Dinge sind schon von Invaliden geleistet worden.

CARL HILTY

Wo die größere Krankheit Sitz gefaßt,
fühlt man die mindere kaum.

WILLIAM SHAKESPEARE

Den Leib soll man schlechter behandeln als die Seele.

MENANDER

Mir ist es piepegal, ob Salz schlecht für mich ist, Butter, Wein oder die Frauen. Das Leben ist eine unheilbare Krankheit. Alles ist schlecht für einen.

GEORGE TABORI

Des Menschen Leib ist schwächer als sein Geist.

FRANZ GRILLPARZER

Glücksgefühle sind wohltätig für den Körper, aber die Kräfte des Geistes werden durch Kummer entwickelt.

MARCEL PROUST

Krankheit, du bist Gottes Gabe,
Er soll drum gepriesen sein.

FRANZ GRILLPARZER

Krankheit, dich auch preis ich.
Zur reinen Freude am Dasein,
welche nicht wünscht, noch bedarf, bist du
der einzige Weg.
CHRISTIAN FRIEDRICH HEBBEL

DIE GRIPPE IST KEINE KRANKHEIT, SIE IST
EIN ZUSTAND.
KURT TUCHOLSKY

Der Leib ist eine Blume, woraus der eine
Honig, der andere Gift saugt. Nicht der
Geist wird vom Leib, sondern umgekehrt
der Leib vom Geist infiziert.
FRIEDRICH WILHELM JOSEPH VON SCHELLING

Wird uns eine rechte Qual zuteil,
dann wünschen wir uns Langeweil.
JOHANN WOLFGANG VON GOETHE

Die größte Krankheit der Seele
ist die Kälte.
GEORGES CLEMENCEAU

Vielleicht verschließt uns die Krankheit einige Wahrheiten, ebenso aber verschließt uns die Gesundheit andere oder führt uns davon weg, so daß wir uns nicht mehr darum kümmern. Ich habe unter denen, die sich einer unerschütterlichen Gesundheit erfreuen, noch keinen getroffen, der nicht nach irgendeiner Seite hin ein bißchen beschränkt gewesen wäre - wie solche, die nie gereist sind.

ANDRÉ GIDE

Der Leib soll sein ein Knecht der Seele, die Seele eine Dienerin des Geistes und der Geist ein Anstarren Gottes.

JOHANNES TAULER

Die Angst ist eine natürliche Schutzreaktion, ohne die wir kaum überleben könnten.

GRANTLY DICK-READ

Krankheit verstöret das Gehirn und brütet tolle und wunderliche Träume aus.

FRIEDRICH SCHILLER

Die Krankheiten, unter denen wir leiden, sind nicht unheilbar, und uns, die wir zum Rechten geboren, hilft die Natur selbst, wenn wir die Heilung nur wollen.

LUCIUS ANNAEUS SENECA

Nur die überwundenen Krankheiten haben einen Sinn.

WERNER MITSCH

DIE KRAFT IST SCHWACH, ALLEIN DIE LUST IST GROß.

JOHANN WOLFGANG VON GOETHE

Du weißt, daß der Leib ein Kerker ist;
die Seele hat man hinein betrogen,
da hat sie nicht freie Ellenbogen.
Will sie sich da- und dorthin retten,
schnürt man den Kerker selbst in Ketten.

JOHANN WOLFGANG VON GOETHE

Langeweile ist die beste Krankenwärterin.

ROBERT HAMERLING

Krankheit ist Zwist der Organe. Die allgemeine muß fast immer örtlich werden, so wie die örtliche in allgemeine übergeht.

NOVALIS

Die Zeit eilt, heilt, teilt.

SPRICHWORT

Es kommt darauf an, den Körper mit der Seele und die Seele durch den Körper zu heilen.

OSCAR WILDE

Gesundheit kommt vom Herzen,
Krankheit geht zum Herzen.

AUS DER TSCHECHOSLOWAKEI

Die Zeit heilt alle Wunden.

SPRICHWORT

Das Wesen der Krankheit ist so dunkel als das Wesen des Lebens.

NOVALIS

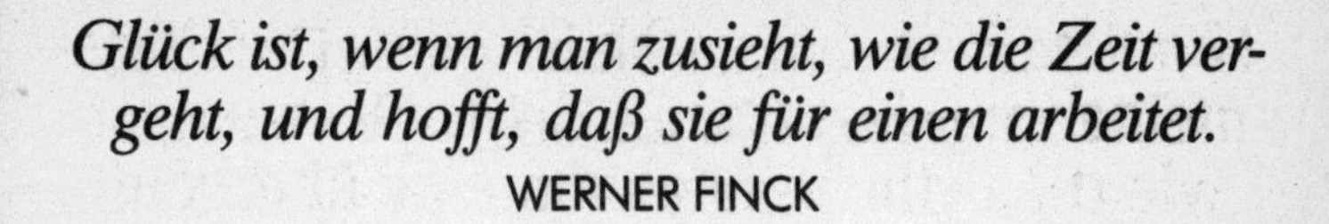

Glück ist, wenn man zusieht, wie die Zeit vergeht, und hofft, daß sie für einen arbeitet.

WERNER FINCK

DIE ABSICHT, DAß DER MENSCH GLÜCKLICH SEI, IST IM PLAN DER SCHÖPFUNG NICHT ENTHALTEN.

SIGMUND FREUD

Hier ruht mein treuster Genoß' im Land,
Herr Hypochonder zubenannt.
Er starb an frischer Bergesluft,
an Lerchenschlag und Rosenduft.

ANASTASIUS GRÜN

Der Kranke? Ein Metaphysiker wider Willen.

EMILE CIORAN

Denn noch bis jetzt gab's
keinen Philosophen,
der mit Geduld das Zahnweh
könnt ertragen.

WILLIAM SHAKESPEARE

Gib einem Kranken Nahrung, er wird sie anders verarbeiten als ein Gesunder.

HIPPOKRATES

Eingebildete Übel gehören zu den unheilbaren.

MARIE VON EBNER-ESCHENBACH

Was Glücksgefühle bedeuten, weiß nur ein von starken Schmerzen geplagter Mensch. Vorübergehende Schmerzlosigkeit – das ist Glück.

MARCEL PROUST

Wo der Zahn weh tut, dorthin geht die Zunge.

AUS FRANKREICH

Heilung ist auch Annahme des Krankseins als Teil des Lebens.

SILVIO JENNY

Wer nie ganz unten war, der weiß auch nicht, was Glück sein kann.

TONI CURTIS

Krankheit kommt zu Pferde
und geht zu Fuß.

SPRICHWORT

Jeder Gesunde ist ein Kranker, der sich nicht kennt.

JULES ROMAINS

Der gesunde Mensch ist schön und sein Zustandekommen erstrebenswert. Aber es muß ein bißchen irgendwelcher Krankheit in ihn kommen, daß er auch geistig schön werde.

CHRISTIAN MORGENSTERN

Ein Gramm Zucker mehr im Urin, und der Freigeist geht zur Messe.

ANATOLE FRANCE

Das gute Leben, regelmäßige Mahlzeiten, Siesta und neun Stunden Schlaf am Tag zerstören unwiderruflich Körper und Gehirn.

JACQUES-YVES COUSTEAU

Dank der natürlichen Hinfälligkeit des Menschengeschlechts wirken die Heilmittel langsamer als die Übel, und wie der Leib unmerklich wächst, aber schnell zugrunde geht, so ist es auch leichter, Talent und Wettstreit zu ersticken, als sie wieder zum Leben zu erwecken.

TACITUS

Unsere Seele ist immer voll Leben: im Kranken, Ohnmächtigen, Sterbenden.

JOSEPH JOUBERT

Die Krankheit ist der Preis, den die Seele für die Besitznahme des Körpers zahlt.

RAMAKRISHNA

Pupen ist 'ne große Not, wer nicht pupen kann, geht tot.

VOLKSMUND

Das Gefühl von Gesundheit erwirbt man sich nur durch Krankheit.

GEORG CHRISTOPH LICHTENBERG

Krankheit ist der Anruf
der Wahrheit an uns.
REINHOLD SCHNEIDER

Die Krankheiten heben unsere Tugenden
und Laster auf.
CHAMFORT

Freuden sind unsere Flügel,
Schmerzen unsere Sporen.
JEAN PAUL

Was mich nicht umbringt,
macht mich stärker.
FRIEDRICH NIETZSCHE

Der Schmerz ist ein heiliger Engel, und durch ihn sind die Menschen größer geworden als durch alle Freuden der Welt.
ADALBERT STIFTER

Der Schmerz macht, daß wir die Freude fühlen, so wie das Böse macht, daß wir das Gute erkennen.
EWALD CHRISTIAN VON KLEIST

Das Setzen ins Gleichgewicht wird oft nur dadurch erreicht, daß man viel Schmerz, physischen und moralischen, in sein Dasein mit aufnimmt.

WILHELM VON HUMBOLDT

Schmerz und Freude liegen in einer Schale; ihre Mischung ist des Menschen Los.

JOHANN GOTTFRIED SEUME

WIE DAS ÜBERMAß DER FREUDE OFT IN TRAURIGKEIT ENDET, SO FOLGEN HINGEGEN NEUE FREUDEN AUF DAS ÜBERSTANDENE LEID.

GIOVANNI BOCACCIO

Das Leiden gehört zum Selbstgenuß des Menschen.

KARL MARX

Wäre kein Schmerz in der Welt, so würde der Tod alles aufreiben. Wenn mich eine Wunde nicht schmerzte, würde ich sie nicht heilen und würde daran sterben.

EWALD CHRISTIAN VON KLEIST

Der Gedanke an die Vergänglichkeit aller irdischen Dinge ist ein Quell unendlichen Leids und ein Quell unendlichen Trosts.

MARIE VON EBNER-ESCHENBACH

Wenn nach Genossen
du im Leid begehrst,
dann kennst du nur des Kummers
bloßen Schein.
Sobald du echten, tiefen Schmerz
erfährst,
du trägst ihn anders nimmer als allein.

FERDINAND GROSS

Willst du glücklich sein,
dann lerne erst leiden.

IWAN S. TURGENJEW

Mit dem Klagen, mit dem Zagen,
wie verdarbst du's, ach, so oft!
lerne Trübes heiter tragen,
und dein Glück kommt unverhofft.

EMANUEL GEIBEL

Wenn dein Leiden sich mehrt, so mehrt sich die Kraft, es zu tragen.

JOHANN KASPAR LAVATER

Wir werden von einem Leiden nur geheilt, indem wir es bis zum Letzten auskosten.

MARCEL PROUST

Auf Angst und Schweiß folgt Ruh und Preis.

ABRAHAM A SANCTA CLARA

DAS AUGE DES LEIDENDEN IST FÜR DIE WAHRHEIT IMMER AM MEISTEN OFFEN.

JOHANN HEINRICH PESTALOZZI

Nur wer des tiefsten Leidens fähig ist, versteht das olympische Lachen.

FRIEDRICH NIETZSCHE

Nachdenken enthält eine unerschöpfliche Quelle von Trost und Beruhigung.

NOVALIS

Was man so heftig fühlt, fühlt man nicht allzu lang.

JOHANN WOLFGANG VON GOETHE

Bedenke dies: Schon manchmal
trat ein Segen
in der Gestalt des Unglücks dir entgegen,
dir fehlte nur in jener Zeit des Leidens
der klare Blick des Unterscheidens.

FJODOR LÖWE

Überhaupt zeigt der, welcher bei allen Unfällen gelassen bleibt, daß er weiß, wie kolossal und tausendfältig die möglichen Übel des Lebens sind; weshalb er das jetzt eingetretene ansieht als einen sehr kleinen Teil dessen, was kommen könnte.

ARTHUR SCHOPENHAUER

Angst ist für die Seele ebenso gesund wie ein Bad für den Körper.

MAXIM GORKI

**Dem feindlichen Geschick zum Trutz
mach auch dein Unglück dir zunutz!**

KARL WILHELM RAMLER

In der Not erst magst du zeigen, wer du bist und was du kannst.

EMANUEL GEIBEL

Leiden sollen läutern, sonst hat man gar nichts von ihnen.

JEAN PAUL

DIE VERZWEIFLUNG IST DER GRÖßTE UNSERER IRRTÜMER.

VAUVENARGUES

Ich habe vieles über das Leben gelernt, aber das Wertvollste war: Es geht weiter.

BRIGITTE BARDOT

Ein Mensch, der nicht viel gelitten hat, kann nicht Segen ausströmen. Seine Worte haben noch keine rechte Wirkung, so salbungsvoll sie auch klingen.

CARL HILTY

Das Unglück ist ebenso wie der Ruhm imstande, Energien zu wecken.

MAURICE BARRÈS

Im Weinen liegt eine gewisse Wonne.

OVID

Vielleicht heißt „leiden" nichts anderes als ein tieferes Leben führen.

ALEXANDRE RODOLPHE VINET

Wir sträuben uns gegen das Leiden. Wer aber möchte nicht gelitten haben?

MARIE VON EBNER-ESCHENBACH

Leiden sind Lehren.

ÄSOP

Stunden der Not vergiß, doch was sie dich lehrten, vergiß nie!

SALOMON GESSNER

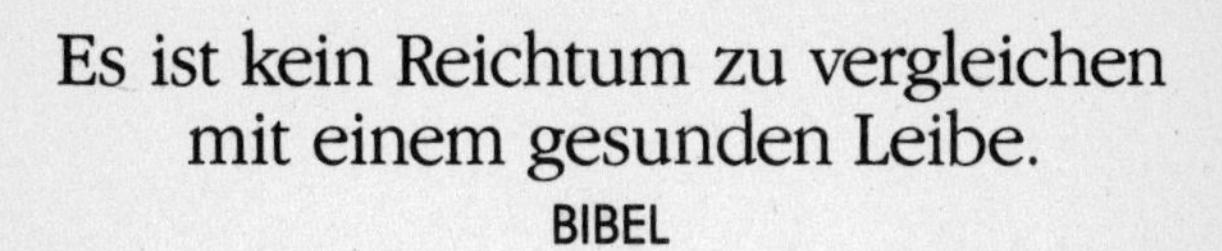

Es ist kein Reichtum zu vergleichen
mit einem gesunden Leibe.

BIBEL

„Wird's besser? Wird's schlimmer?"
fragt man alljährlich.
Seien wir ehrlich:
Leben ist immer
lebensgefährlich.

ERICH KÄSTNER

Ich hab mir's zur Regel gemacht, daß mich die aufgehende Sonne nie im Bett finden soll, solange ich gesund bin.

GEORG CHRISTOPH LICHTENBERG

WENN MAN AUF SEINEN KÖRPER ACHTET, GEHT'S AUCH DEM KOPF BESSER.

JIL SANDER

Es ist unglaublich, wieviel Kraft die Seele dem Körper zu verleihen vermag.

WILHELM VON HUMBOLDT

Seelenruhe, Heiterkeit und Zufriedenheit sind die Grundlagen allen Glücks, aller Gesundheit und des langen Lebens.

CHRISTOPH WILHELM VON HUFELAND

Alle kräftigen Menschen lieben das Leben.
HEINRICH HEINE

Von allen natürlichen Heilmitteln hat mir den bisher größten Eindruck das Fasten gemacht.
OTTO BUCHINGER

Erst das Wort,
dann die Pflanze,
zuletzt das Messer.
ASKLEPIOS

Gesundheit schätzt man erst,
wenn man sie verloren hat.
SPRICHWORT

Die Krankheit von heute ist nur die Überschreitung der Naturgesetze von gestern.
AUS PERSIEN

Es gibt nur eine Gesundheit und eine Menge von Krankheiten.
WILHELM VON HUMBOLDT

Das Paradies der Erde
liegt auf dem Rücken der Pferde,
in der Gesundheit des Leibes
und am Herzen des Weibes.

FRIEDRICH MARTIN VON BODENSTEDT

Es ist kein Reichtum zu vergleichen
mit einem gesunden Leibe.

BIBEL

Es gibt tausend Krankheiten, aber nur eine
Gesundheit.

LUDWIG BÖRNE

Ein gesunder Körper ist gerne gepaart mit
einer heitern Seele.

AUGUST VON KOTZEBUE

Was nützt mir der ganzen Erde Geld?
Kein kranker Mensch genießt die Welt.

JOHANN WOLFGANG VON GOETHE

Besser a g'sunder Esel als a krank's Roß.

AUS ÖSTERREICH

Gesundheit ist leichter verloren
als wiedergewonnen.

SPRICHWORT

Liebe und Sorgfalt für den Körper ist uns angeboren, aber wir dürfen ihm nicht nachgeben und seine Sklaven sein.

LUCIUS ANNAEUS SENECA

Erbitte dir zuerst Gesundheit, dann Wohlergehen, drittens ein frohes Herz und zuletzt, niemandes Schuldner zu sein.

PHILEMON

**Wer Gesundheit entbehrt,
für den haben andere Schätze keinen Wert.**

SPRICHWORT

Nur wo Körper- und Geistestätigkeit in geordneter lebendiger Wechselwirkung stehen, ist wahres Leben.

FRIEDRICH FRÖBEL

DER KÖRPER IST DER EINBAND DES GEISTES.

JOHANN WILHELM RITTER

Die Trägheit ist des Menschen Feind,
die seinen Leib erschlafft;
die Arbeit ist sein bester Freund,
sie gibt ihm neue Kraft.

PETER VON BÖHLEN

Gesundheit ist doch eine häßliche Krankheit, sagen die Bakterien.

PIET HEIN

Man hat sein Lüstchen für den Tag und sein Lüstchen für die Nacht; aber man ehrt die Gesundheit.

FRIEDRICH NIETZSCHE

Zuerst verbraucht man seine Gesundheit, um zu Geld zu kommen, dann sein Geld, um die Gesundheit zurückzuholen.

ROBERT LEMBKE

Gesundheit und Verstand, das sind die beiden Lebensgüter.

MENANDER

Vor allem wegen der Seele ist es nötig, den Körper zu üben.

JEAN-JACQUES ROUSSEAU

Was der Schlaf für den Körper, ist die Freude für den Geist: Zufuhr neuer Lebenskraft.

HERBERT IHERING

Tatsachen sind für den Geist, was die Nahrung für den Körper ist.

EDMUND BURKE

Die beste Wärterin der Natur ist Ruhe.

WILLIAM SHAKESPEARE

SORGE FÜR DEINEN LEIB, DOCH NICHT SO, ALS WENN ER DEINE SEELE WÄRE!

CHRISTIAN MORGENSTERN

Kraft, die nicht wirkt, erschlafft.

SPRICHWORT

Die Gesundheit zu erhalten: Nicht bis zur Sättigung essen, sich vor Anstrengungen nicht scheuen!

HIPPOKRATES

Es schadet nichts
wenn Starke sich verstärken.

JOHANN WOLFGANG VON GOETHE

Gesundheit ist die Summe aller Krankheiten, die man nicht hat.

GERHARD UHLENBRUCK

Der Kranke spart nichts als die Schuhe.

SPRICHWORT

Die Seele ist ein Kristall,
die Gottheit ist ihr Schein,
der Leib, in dem du lebst,
ist ihrer beider Schrein.

ANGELUS SILESIUS

Gesundheit ist die erste Pflicht im Leben.

OSCAR WILDE

Geist und Körper, innig sind sie ja verwandt,
ist jener froh, gleich fühlt sich dieser frei und wohl,
und manches Übel flüchtet vor der Heiterkeit.

JOHANN WOLFGANG VON GOETHE

Ach, wie sehr verlange ich nach Gesundheit! Man habe nur erst etwas vor, das etwas länger dauern soll als man selbst - dann dankt man für jede gute Nacht, für jeden warmen Sonnenstrahl, ja für jede geregelte Verdauung.

FRIEDRICH NIETZSCHE

Schön rötlich die Kartoffeln sind
und weiß wie Alabaster,
sie däu'n sich lieblich und geschwind
und sind für Mann und Kind
ein rechtes Magenpflaster.

MATTHIAS CLAUDIUS

Solange mir Gott Gesundheit gibt, ist es mir nicht erlaubt, müßig zu sein.

ORLANDO DI LASSO

Der Geist ist denselben Gesetzen unterworfen wie der Körper: Beide können sich nur durch beständige Nahrung erhalten.

VAUVENARGUES

Die Arbeit ist eine Quelle der Gesundheit.

CARL HILTY

Nimmt unser Leib erst ab, nimmt der Verstand recht zu: Die Seele, scheint es, hat mehr von dem Leibe Ruh.

FRIEDRICH VON LOGAU

Glück ist gute Gesundheit und ein schlechtes Gedächtnis.

ALBERT SCHWEITZER

Die Gesundheit ist wie das Salz; man merkt nur, wenn es fehlt.

AUS ITALIEN

Denn Unverstand ist's, über seine Kraft zu tun.

SOPHOKLES

Vielleicht wird nichts so schnell die Zeit herbeiführen, wo für den Körper wie für den Geist zureichend gesorgt wird, als eine Ausbreitung der Überzeugung, daß die Erhaltung der Gesundheit eine Pflicht ist. Wenige scheinen sich bewußt zu sein, daß es so etwas wie eine physische Sittlichkeit gibt.

HERBERT SPENCER

Der beste Arzt ist jederzeit des Menschen eigne Mäßigkeit.

JOHANN WILHELM LUDWIG GLEIM

MEINE VORSTELLUNG VOM GLÜCK: EIN GUTES BANKKONTO, EINE GUTE KÖCHIN, EINE GUTE VERDAUUNG.

JEAN-JACQUES ROUSSEAU

Gesundheit will bei Armen
als Reichen lieber stehn.
Wieso? Sie hasset Prassen
und stets Müßiggehn.

FRIEDRICH VON LOGAU

Wenn's dem Körper übel geht, o wie bleibt die Seele schön zu Hause und wartet und sorgt! Ihre Wünsche gehen kaum über eine Nacht, und ihre ganze Hoffnung ruht auf einem neuverschriebenen Rezepte.

JOHANN WOLFGANG VON GOETHE

Ist die Geschmacklosigkeit der Brötchen ein Indiz für Chemie im Teig oder für Stroh im Kopf der Bäcker?

WOLFRAM SIEBECK

Glück und Schmerzlosigkeit müssen wir dankbar annehmen und genießen, aber nie fordern.

WILHELM VON HUMBOLDT

Einem Kranken
hilft auch kein goldenes Bett.

AUS RUSSLAND

Das Schönste ist, gerecht zu sein, das Beste die Gesundheit, das Angenehmste, wenn man immer erreicht, was man will.

SOPHOKLES

Neun Zehntel unseres Glückes beruhn allein auf der Gesundheit. Mit ihr wird alles eine Quelle des Genusses. Hingegen ist ohne sie kein äußeres Gut, welcher Art es auch sei, genießbar.

ARTHUR SCHOPENHAUER

Wer gesund ist und arbeiten will hat in der Welt nichts zu fürchten.

GOTTHOLD EPHRAIM LESSING

Die gesundeste Turnübung ist das rechtzeitige Aufstehen vom Eßtisch.

GIORGIO PASETTI

HUNDERTPROZENTIGE GESUNDHEIT IST EINE STOFFWECHSELERKRANKUNG.

CURT GOETZ

Ein gesunder Geist in einem gesunden Körper.

JUVENAL

Es beruhen neun Zehntel unseres Glücks allein auf der Gesundheit.

ARTHUR SCHOPENHAUER

Die größte aller Torheiten ist, seine Gesundheit aufzuopfern, für wen es auch sei, für Erwerb, für Beförderung, für Gelehrsamkeit, Ruhm, geschweige für Wollust und flüchtige Genüsse.

ARTHUR SCHOPENHAUER

Krankheit verabsäumt jeden Dienst,
zu dem Gesundheit ist verpflichtet.
Wir sind nicht wir,
wenn die Natur, im Druck,
die Seele zwingt,
zu leiden mit dem Körper.

WILLIAM SHAKESPEARE

Wenn du merkst, du hast gegessen, hast du schon zuviel gegessen.

SEBASTIAN KNEIPP

Nur die Gesundheit ist das Leben.

FRIEDRICH VON HAGEDORN

Gesundheit ist nicht alles, aber ohne Gesundheit ist alles nichts.

ARTHUR SCHOPENHAUER

Krankheit läßt den Wert der Gesundheit erkennen.

HERAKLIT

Mäßigkeit bleibt die Würze der Sinnesfreuden, die Arznei des Genusses, die Seele des Lebens.

FRIEDRICH LUDWIG JAHN

Folgende Gegensätze sollte man vereinen können: Tugend mit Gleichgültigkeit gegen die öffentliche Meinung, Arbeitsfreude mit Gleichgültigkeit gegen den Ruhm und die Sorge um die Gesundheit mit Gleichgültigkeit gegen das Leben.

CHAMFORT

EIN GESUNDER BETTLER IST GLÜCKLICHER ALS EIN KRANKER KÖNIG.

AUS FRANKREICH

Wenn mich ein Tyrann einsperrte, um mir Respekt vor der Macht beizubringen, würde ich mir zur Gesundheitsregel machen, ganz für mich allein jeden Tag einmal zu lachen.

ALAIN

Glück liegt im körperlichen Leben und Leid im Denken.

ANAÏS NIN

Sonnenschein ist köstlich, Regen erfrischt, Wind kräftigt, Schnee erheitert. Es gibt kein schlechtes Wetter, es gibt nur verschiedene Arten von gutem.

JOHN RUSKIN

Die eine Hälfte meines Lebens konnte ich nicht essen, was ich wollte, weil ich es mir nicht leisten konnte, die andere Hälfte, weil ich Diät halten muß.

GABRIEL GARCÍA MÁRQUEZ

Alles, was man nicht ißt, ist gut für die Gesundheit.

GUIDO CERONETTI

Es gibt keine passive Gesundheit, kein Gesundgemacht-Werden, sondern nur eine Gesundheit, die in steter Selbstzucht, in stetem Ringen um die Aktivierung der Kräfte und Funktionen, also in körperlichem und seelisch-geistigem Ringen täglich aufs neue erworben sein will. Gesundheit versteht sich damit nicht von selbst, sie will erarbeitet, erkämpft sein.

KARL KÖTSCHAU

Reich ist, wer keine Schulden hat, glücklich, wer ohne Krankheit lebt.

AUS DER MONGOLEI

ICH BIN NICHT DESWEGEN VEGETARIER GEWORDEN, UM ETWAS FÜR MEINE GESUNDHEIT ZU TUN.
ICH TAT ES FÜR DIE GESUNDHEIT DER HÜHNER.

ISAAC B. SINGER

Die Gesundheit sieht es lieber, wenn der Körper tanzt als wenn er schreibt.

GEORG CHRISTOPH LICHTENBERG

GESUNDHEIT IST DER GRÖẞTE REICHTUM.
SPRICHWORT

Gesundheit kauft man nicht im Handel,
sie liegt im Lebenswandel.
KARL KÖTSCHAU

Nur die Höhe des Menschen
ist der Mensch.
PARACELSUS

Gesundheit ist die Tochter der Arbeit.
SPRICHWORT

Ein deutsches Abendessen besteht in knapp neunzig Prozent aller Haushalte aus Wurstbroten. Kein Volk der Erde übertrifft uns in dieser Disziplin. Wurst und Brot und Butter – intensiver kann kein Schwein gemästet werden.
WOLFRAM SIEBECK

Gehabte Schmerzen, die hab ich gern.

WILHELM BUSCH

Bei leerem Magen
sind alle Übel doppelt schwer.

CHRISTOPH MARTIN WIELAND

Die Seele kommt alt zur Welt, aber sie wächst und wird jung. Das ist die Komödie des Lebens. Der Leib kommt jung zur Welt und wird alt. Das ist die Tragödie unseres Daseins.

OSCAR WILDE

Was der Schlaf für den Körper, ist die Freude für den Geist: Zufuhr neuer Lebenskraft.

HERBERT IHERING

Seid von Herzen froh,
das ist das A und O.

JOHANN WOLFGANG VON GOETHE

Mein bewährtes Rezept gegen Trübsinn: Diät, Beschäftigung, Einschränkung der Begierden.
JOHANNES VON MÜLLER

Klage nicht zu sehr über einen kleinen Schmerz! Das Schicksal könnte ihn durch einen größeren heilen.
CHRISTIAN FRIEDRICH HEBBEL

Eine sel'ge Stunde
wiegt ein Jahr von Schmerzen auf.
EMANUEL GEIBEL

Nie waltet
im Leben das Glück
lauter und frei vom Leide.
SOPHOKLES

Der Himmel hat den Menschen als Gegengewicht zu den vielen Mühseligkeiten des Lebens drei Dinge gegeben: die Hoffnung, den Schlaf und das Lachen.
IMMANUEL KANT

Daß die Schmerzen miteinander abwechseln, macht das Leben erträglich.

CHRISTIAN FRIEDRICH HEBBEL

Manchmal sieht unser Schicksal aus wie ein Fruchtbaum im Winter. Wer sollte bei dem traurigen Ansehn desselben wohl denken, daß diese starren Äste, diese zackigen Zweige im nächsten Frühjahr wieder grünen, blühen, sodann Früchte tragen können?

JOHANN WOLFGANG VON GOETHE

Auch das Denken schadet bisweilen der Gesundheit.

ARISTOTELES

Eiserne Ausdauer und klaglose Entsagung sind die äußersten Pole der menschlichen Kraft.

MARIE VON EBNER-ESCHENBACH